LE VILAIN petit CANARD

Un conte d'après HANS CHRISTIAN ANDERSEN
illustré par ANNETTE MARNAT

Père Castor ⬧ Flammarion

© Flammarion, 2013
ISBN : 978-2-0812-8568-2 – ISSN : 1768-2061

C'était le milieu de l'été. Il faisait bon à la campagne.
En plein soleil s'élevait un vieux château entouré de larges fossés,
et depuis les murs jusqu'à l'eau
poussaient des bardanes à grandes feuilles.
Elles étaient si hautes que les petits enfants
pouvaient se cacher dessous.
Dans cet endroit aussi sauvage que la plus épaisse forêt,
une cane était assise depuis longtemps
sur son nid, couvant ses œufs.
Il lui tardait de voir ses petits sortir.

Enfin, les œufs commencèrent à éclore l'un après l'autre.
« Toc ! Toc ! » Les petits becs cognaient contre les coquilles.
Un par un, six petits canards jaunes tendirent leur cou au-dehors.

Les nouveau-nés s'agitaient tant qu'ils pouvaient,
et regardaient de tous côtés sous les feuilles vertes.
– Que le monde est grand ! dirent-ils.
– Oui, dit leur mère, il s'étend loin,
de l'autre côté du jardin, jusqu'au champ là-bas !
Êtes-vous bien tous là, au moins ?
Et elle se leva.
– Non, le plus gros œuf n'est même pas craquelé,
constata-t-elle. Comme c'est long !
Et elle se remit à couver.
– Comment cela va-t-il ? dit une vieille cane qui venait en visite.
– Il y a cet œuf-là qui ne s'ouvre toujours pas !
répondit la mère cane. Mais regarde un peu les autres,
ce sont les plus jolis canetons que j'aie vus.
– Montre-moi cet œuf qui ne veut pas craquer, dit la vieille.
Mais c'est un œuf de dinde, tu peux m'en croire !
Laisse-le et apprends plutôt à nager aux autres petits !
– Voilà si longtemps que j'y suis, je peux le couver encore un peu,
dit la mère cane en se recouchant dessus.
– Comme tu voudras ! répliqua la vieille cane.
Et elle s'en alla.

Finalement, le gros œuf creva.
– Pip ! Pip ! fit le caneton en sortant.
La mère cane l'examina avec étonnement :
« Comment ce vilain caneton peut-il être un de mes enfants ?
Il est énorme et ne ressemble à aucun des autres.
Ce ne serait tout de même pas un dindonneau ?
Enfin, on verra ça bientôt ; il faudra bien qu'il aille à l'eau. »

Le lendemain, il faisait un temps délicieux.
La mère cane se rendit avec toute sa petite famille au fossé.
Plouf ! Elle sauta dans l'eau.
Aussitôt les petits plongèrent l'un après l'autre
et nagèrent avec rapidité.
Même le grand caneton gris si laid nageait très bien.
« Ce n'est pas un dindon, se rassura la cane.
C'est bien un petit à moi ! »

La mère cane conduisit ses petits dans la cour des canards.
– Les enfants, leur dit-elle, suivez-moi.
Ne vous éloignez surtout pas, et prenez garde au chat.
Jouez des pattes, et n'oubliez pas,
un caneton bien élevé marche en écartant les pieds.

Les petits obéirent, et les canes, tout autour,
les regardaient et disaient à voix haute :
– Encore une famille de plus !
– Vous avez là de beaux enfants, dit la vieille cane
qui portait un ruban rouge à une patte,
excepté celui-là qui est plutôt bizarre.
– C'est vrai qu'il est assez vilain, dit la mère cane,
mais il a bon caractère et nage parfaitement.
Je crois qu'il fera quand même
son chemin dans le monde.

Mais à compter de ce jour,
les choses se gâtèrent pour le vilain petit canard.
Il fut bousculé, moqué et mordu.
Il était pourchassé par tous et ne savait où se réfugier.
Ses frères et sœurs étaient méchants avec lui
et lui répétaient sans cesse :
– Hou ! Le vilain ! Si seulement le chat t'emportait.
Et même sa mère disait :
– Je voudrais que tu sois bien loin !

Alors le vilain petit canard décida de s'enfuir.
Il prit son vol par-dessus la haie et arriva
dans le grand marais où vivaient les canards sauvages.
Quand ils l'aperçurent, ils lui demandèrent :
– Quelle espèce d'oiseau es-tu ?
Le caneton se tourna de tous côtés
et les salua du mieux qu'il put.
– Tu es vraiment laid, dirent les canards sauvages,
mais cela nous est égal, pourvu que
tu n'épouses personne de notre famille.

Tout à coup on entendit : « Pif, paf ! »
Deux jars sauvages tombèrent morts dans les roseaux,
et l'eau devint rouge comme du sang.
De nombreux chasseurs étaient postés autour de l'étang.
De nouvelles détonations retentirent : « Pif, paf ! »
Des oies sauvages s'envolèrent des roseaux.
Puis les chiens entrèrent dans la vase : « Wouaf, wouaf ! »
Joncs et roseaux se courbaient de tous côtés.

Quelle épouvante pour le vilain petit canard !
Un grand chien à l'air terrible se trouva devant lui,
la langue pendante, les yeux étincelants de méchanceté.
Il lui montra ses dents pointues… puis lui tourna le dos.
« Je suis si laid, soupira le caneton,
que même le chien ne veut pas me mordre ! »
Et il demeura immobile dans les joncs pendant
la grêle de plomb et la pétarade des coups de feu.

Le calme ne revint que tard dans la journée,
mais le pauvre petit attendit plusieurs heures
avant de se dépêcher de quitter le marais.
La tempête faisait rage autour de lui.

Vers le soir, il atteignit une misérable cabane de paysan
et se faufila à l'intérieur par la fente de la porte.
Là demeurait une vieille femme avec son chat et sa poule.

Le matin, en découvrant l'intrus,
le chat se mit à ronronner, et la poule à glousser.
La femme, qui ne voyait pas bien,
crut que c'était une cane grasse qui s'était égarée.
– Voilà une bonne prise, dit-elle, je vais avoir des œufs de cane.
Pourvu que ce ne soit pas un canard ! Enfin, nous verrons.

Et le caneton fut gardé pendant trois semaines,
pour voir, mais aucun œuf ne vint.

Dans cette maison, le chat était le maître
et la poule la maîtresse.
Alors le caneton restait dans son coin,
à penser au grand air et à l'éclat du soleil.
Il avait une si grande envie de nager
qu'il ne put s'empêcher d'en parler à la poule.
– Qu'est-ce qui te prend ? demanda-t-elle.
Tu n'as rien à faire, alors il te vient de drôles de lubies.
Ponds ou ronronne, et ça te passera !
– Mais c'est délicieux de nager, dit le petit canard,
et délicieux de plonger et d'avoir de l'eau par-dessus la tête.
– En voilà un plaisir ! dit la poule. Tu es fou.
Demande au chat s'il aime nager ou plonger dans l'eau.
Je ne parle pas de moi… Vois notre vieille patronne.
Crois-tu qu'elle ait envie de nager ou d'avoir
de l'eau par-dessus la tête ?
          – Vous ne me comprenez pas, dit le caneton.
          Je crois que je vais m'en aller dans le vaste monde.
– À ta guise, dit la poule.

17

Et le caneton partit. Il nagea, il plongea.
Partout les animaux le dédaignaient à cause de sa laideur.
Puis l'automne arriva et les feuilles devinrent rouges et or.
Bientôt le vent de l'hiver s'en empara et les fit danser de tous côtés.
Les nuages étaient lourds de grêle et de flocons de neige.
Le petit canard frissonnait dans les roseaux.

Un soir, comme le soleil se couchait superbement,
passa haut dans le ciel une volée de grands oiseaux blancs
aux ailes magnifiques et aux longs cous souples.
C'étaient des cygnes.
Jamais le caneton n'avait vu d'oiseaux aussi beaux.
Il ne savait pas leur nom, ni où ils allaient,
mais il les aima comme jamais il n'avait aimé personne.

À mesure que l'hiver devenait plus rude,
la rivière et les roseaux commencèrent à geler.
Le caneton dut nager dans l'eau sans s'arrêter.
Mais chaque nuit le trou dans lequel il nageait
se rétrécissait davantage : une croûte craquante s'y formait.
Le caneton finit par être si épuisé qu'il ne bougea plus,
et resta pris dans la glace.

Au matin, passa un paysan qui vit
le pauvre oisillon à demi-mort de froid.
Il brisa la glace avec ses sabots,
et porta l'oiseau gelé à sa femme et à ses enfants.

Il faisait chaud dans la maison et le caneton revint à la vie.
Mais quand les enfants voulurent jouer avec lui, il prit peur
et se cogna contre la terrine du lait qu'il renversa.
La femme courut après lui pour le frapper avec les pincettes ;
les enfants se bousculèrent pour l'attraper.
L'infortuné caneton se sauva par la porte entrouverte
et trouva refuge dans un buisson couvert de neige.

Il était couché dans le marais parmi les roseaux
lorsque le soleil redevint brillant et chaud.
Les alouettes chantaient… c'était un printemps délicieux.
Soudain le caneton déploya ses ailes qui battirent l'air
avec force et l'emportèrent en un instant dans un grand jardin.

Les pommiers étaient en fleurs et les lilas embaumaient.
Sur l'eau d'un petit lac, deux cygnes blancs glissaient avec élégance.
En les reconnaissant le caneton fut saisi d'une étrange tristesse.
« Je vais aller vers vous, oiseaux royaux.
Mieux vaut être tué par vous que pincé
par les canards et battu par les poules ! »
Il se posa sur l'eau.
Les cygnes le virent et s'approchèrent.
Le caneton baissa la tête, attendant les coups.
Il vit alors son reflet dans l'eau claire.
Lui, l'oiseau gris, mal fait et laid,
était devenu un magnifique cygne blanc !

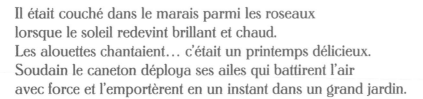

À cet instant, des enfants arrivèrent
et jetèrent du pain dans l'eau.
– Il y en a un nouveau ! s'écria le plus petit.
Les autres poussèrent des cris de joie :
– Qu'il est jeune ! Il est vraiment magnifique !
Et les grands cygnes le saluèrent comme l'un des leurs.
Alors ses plumes se gonflèrent, son cou mince se dressa,
et il s'écria de tout son cœur :
– Jamais je n'ai rêvé d'un tel bonheur,
quand j'étais le vilain petit canard !

Imprimé par Pollina, Luçon, France - L67692 – 02-2014 – Dépôt légal : mars 2013
Éditions Flammarion (n° L.01EJDN000870.C002) – 87, quai Panhard-et-Levassor, 75647 Paris Cedex 13
Loi n°49-956 du 16 juillet 1949 sur les publications destinées à la jeunesse